习近平在亚太经合组织第三十次领导人非正式会议上的讲话

人民出版社

目　　录

同心协力　共迎挑战
谱写亚太合作新篇章

——在亚太经合组织工商领导人
峰会上的书面演讲

（2023 年 11 月 16 日，旧金山）

中华人民共和国主席　习近平

各位工商界代表，

女士们，先生们，朋友们：

很高兴应邀出席亚太经合组织工商领导人峰会。多年前我曾到访旧金山，这座美丽城市的开放、包容、创新给我留下深刻印象。

30 年前，面对冷战结束后“人类向何处去”的世界之问、历史之问、时代之问，亚太地区领导人顺应和平和发展的时代潮流，召开了首次亚太经合组织领导人非正式会议，一致同意超越集团对抗、零和博弈的旧思维，深化区域经济合作和一体化，致力于共建一个活力、和谐、繁荣的亚太大家庭。这一重大决定推动亚太发展和经济全球化进入快车道，助力亚太成为世界经济增长中心、全球发展稳定之锚和合作高地。亚太合作的非凡历程带给我们许多深刻启示。

——开放包容是亚太合作的主旋律。亚太发展靠的是开放包容、取长补短、互通有无，而不是对立对抗、以邻为壑、“小院高墙”。我们秉持开放的区域主义，共同制定了茂物目标和布特拉加亚愿景，推进贸易和投资自由化便利化，提升区域经济一体化水平。过去30年，亚太地区平均关税水平从17%下降至5%，对世界经济增长的贡献达到七成。

——共同发展是亚太合作的总目标。发展是亚太地区永恒的主题。我们始终聚焦发展，不断深化经济技术合作，增强发展中成员自主发展能力。我们共同开创了自主自愿、协商一致、循序渐进的“亚太经合组织方式”，尊重各成员发展权。过去30年，亚太地区人均收入翻了两番还要多，十亿人口成功脱贫，为人类进步和全球可持续发展作出重要贡献。

——求同存异是亚太合作的好做法。亚太地区经济体历史文化和发展阶段不同，在亚太地区推进合作不能要求整齐划一，只能走求同存异的路子。过去30年，我们妥善应对亚洲金融危机、国际金融危机等重大挑战，维护了亚太经济发展的良好势头，靠的就是谋大势、顾大局，弘扬和而不同、和衷共济的伙伴精神，不断将成员多样性转化为合作动力，优势互补，携手共进。

女士们、先生们、朋友们！

世界进入新的动荡变革期，世界经济增长动能不足，不稳定、不确定、难预料因素增多。亚太合作下一个30年将走向何方，成为我们面临的新的时代之问。“万物得其本者生，百事得其道者成。”我们要秉持亚太经合组织初心，牢记历史赋予我们的使命，推动亚太合作再出发。

旧金山是《联合国宪章》签署地，寄托着各国人民对世界和平的美好愿望。和平来之不易，发展任重道远。我们要共同维护联合国宪章宗旨和原则，坚持对话而不对抗、结伴而不结盟的国与国交往之道，维护亚太繁荣稳定。亚太不能也不应该沦为地缘博弈的角斗场，更不能搞“新冷战”和阵营对抗。

亚太繁荣发展的历程表明，唯有合作才能发展，不合作是最大的风险，搞“脱钩断链”对谁都没好处。我们要坚持开放的区域主义，坚定不移推进亚太自由贸易区进程，尊重经济规律，发挥各自比较优势，促进各国经济联动融通，加强相关区域经贸协定和发展战略对接，打造合作共赢的开放型亚太经济。

面对新一轮科技革命和产业变革浪潮，我们要着眼长远、把握机遇、乘势而上，推进数字化、智能化、绿色化转型发展，共同强化科技创新和成果转化，推进数字经济和实体经济深度融合。要携手完善全球科技治理，强化科技创新对绿色化数字化转型和可持续发展的支撑，营造开放、公平、公正、非歧视的科技发展环境。

10年前，我提出推动构建人类命运共同体的理念。亚太经合组织制定的布特拉加亚愿景，明确提出2040年建成亚太共同体，为亚太合作指明了方向。近年来，针对全球迫切需要，我又提出了全球发展倡议、全球安全倡议、全球文明倡议，旨在推动各方携手应对各种全球性挑战、促进全球共同发展、增进全人类福祉。中方愿同亚太各方一道，推进落实这些倡议，共同建设持久和平、普遍安全、共同繁荣、开放包容、清洁美丽的世界。

女士们、先生们、朋友们！

今年以来，中国经济持续回升向好，增速在全球主要经济体中保持领先，高质量发展扎实推进。中国仍然是全球增长最大引擎，今年对全球经济增长的贡献将达到三分之一。正如工商界朋友所言,中国已经成为最佳投资目的地的代名词,下一个“中国”,还是中国,欢迎各国工商界朋友们继续投资中国、深耕中国!

中国具有社会主义市场经济的体制优势、超大规模市场的需求优势、产业体系配套完整的供给优势、大量高素质劳动者和企业家的人才优势,经济发展具备强劲的内生动力、韧性、潜力。过去,中国在不断战胜风险挑战中爬坡过坎,取得历史性成就。现在,中国经济韧性强、潜力足、回旋余地广,长期向好的基本面没有变也不会变。我们有信心、更有能力实现长期稳定发展,并不断以中国新发展为世界带来新动力、新机遇。

中国深入贯彻创新、协调、绿色、开放、共享的新发展理念,坚定不移推进高质量发展,经济增长的含金量更高、绿色成色更浓。近年来,中国新能源汽车、锂电池、光伏产品“新三样”出口快速增长,即将启动的全国温室气体自愿减排交易市场将创造巨大的绿色市场机遇。我们将加快推进现代化产业体系建设，为各类经营主体共享发展成果提供更好制度性保障，不断培育新的增长动能、释放更大发展空间。

我们坚持敞开大门搞建设，坚定不移推进高水平对外开放，进一步扩大市场准入，已经宣布全面取消制造业领域外资准入限制措施。近期成功举办了第六届中国国际进口博览会，本月下旬还将举办第二届全球数字贸易博览会，进一步扩大开放，同各国共享发展机遇和红利。中国正在高质量实施《区域全面经济伙伴关系协定》，主动对接《全面与进步跨太平洋伙伴关系协定》和《数字经济伙伴关系协定》高标准经贸规则，积极推动加入两个协定进程，扩大面向全球的高标准自由贸易区网络。今年是我提出共建“一带一路”倡议 10 周年。上个月，中国成功举办第三届“一带一路”国际合作高峰论坛，形成了 458 项成果，中国金融机构成立 7800 亿元人民币的“一带一路”项目融资窗口，中外企业达成 972 亿美元的商业合作协议，这将推动共建“一带一路”高质量发展，为全球互联互通、促进发展繁荣注入强劲动力。

无论国际形势如何变化，中国打造市场化、法治化、国际化营商环境的决心不会变，一视同仁为外商投资提供优质服务的政策不会变。我们将不断完善外商投资权益保护机制，进一步缩减外商投资准入负面清单，全面保障外商投资企业国民待遇，持续加强知识产权保护。我们将努力打破制约创新要素流动的壁垒，深化数字经济领域改革，促进数据依法有序自由流动。同时，推出更多“暖心”举措，优化外国人来华和停居留政策，着力打通大家在华使用金融、医疗、互联网支付等服务的堵点，为外国工商界朋友来华投资兴业提供更好保障。

我想强调，中国经济克服挑战、稳步前行，实现高质量发展，这也是推进中国式现代化的必然要求。中国式现代化的出发点和落脚点是让 14 亿多中国人民过上更加美好的生活。对世界来说，这意味着更加广阔的市场和前所未有的合作机遇，也将为世界现代化注入强大动力。

女士们、先生们、朋友们！

亚太工商界素来是亚太合作和全球发展的弄潮儿。希望大家弘扬“敢为天下先”的创新精神，为构建开放型亚太经济、助力世界经济发展作出更大贡献。欢迎全球工商界积极参与中国式现代化进程，共享中国高质量发展带来的巨大机遇！

谢谢大家。

坚守初心　团结合作
携手共促亚太高质量增长

——在亚太经合组织第三十次领导人非正式会议上的讲话

（2023 年 11 月 17 日，旧金山）

中华人民共和国主席　习近平

尊敬的拜登总统，

各位同事：

很高兴同大家相聚在美丽的旧金山。这是亚太经合组织领导人第三十次聚首，具有特殊重要意义。感谢拜登总统和美国政府为这次会议作出的周到安排。

亚太经合组织建立领导人定期会议机制

以来，始终走在全球开放发展的前沿，有力促进了区域贸易和投资自由化便利化、经济技术发展、物资人员流动，创造了举世瞩目的“亚太奇迹”。

当前，世界百年变局加速演进，世界经济面临多种风险挑战，作为全球增长引擎，亚太肩负更大的时代责任。作为亚太地区领导人，我们都要深入思考，要把一个什么样的亚太带到本世纪中叶？如何打造亚太发展的下一个“黄金三十年”？在这一进程中如何更好发挥亚太经合组织作用？

中国古人说：“道之所在，虽千万人吾往矣。”我们应该秉持亚太合作初心，负责任地回应时代呼唤，携手应对全球性挑战，全面落实布特拉加亚愿景，建设开放、活力、强韧、和平的亚太共同体，实现亚太人民和子孙后代的共同繁荣。在此，我愿提出几点建议。

第一，坚持创新驱动。创新是发展的强大动力。我们要顺应科技发展趋势，以更加积极姿态推动科技交流合作，携手打造开放、公平、公正、非歧视的科技发展环境。要加速数字化转型，缩小数字鸿沟，加快落实《亚太经合组织互联网和数字经济路线图》，支持大数据、云计算、人工智能、量子计算等新技术应用，不断塑造亚太发展新动能新优势。

中国坚持创新驱动发展战略，协同推进数字产业化、产业数字化，提出了亚太经合组织数字乡村建设、企业数字身份、利用数字技术促进绿色低碳转型等倡议，更好为亚太发展赋能。

第二，坚持开放导向。亚太发展的经验告诉我们，开放则兴，封闭则衰。我们要维护自由开放的贸易投资，支持并加强以世界贸易组织为核心的多边贸易体制，维护全球产业链供应链稳定畅通，反对将经贸问题政治化、武器化、泛安全化。要坚定不移推进区域经济一体化，加快推进亚太自由贸易区进程，全面落实《亚太经合组织互联互通蓝图》，共享区域开放发展机遇。

近期,中国成功举办第三届“一带一路”国际合作高峰论坛,为促进全球互联互通、构建开放型世界经济注入新动力。中国坚持高水平实施《区域全面经济伙伴关系协定》,主动对接《全面与进步跨太平洋伙伴关系协定》和《数字经济伙伴关系协定》高标准经贸规则,积极推动加入两个协定进程,同各方共绘开放发展新图景。

第三,坚持绿色发展。面对气候变化、自然灾害等日益严峻的挑战,我们要坚持人与自然和谐共生,加快推动发展方式绿色低碳转型,协同推进降碳、减污、扩绿、增长,落实好《生物循环绿色经济曼谷目标》,厚植亚太增长的绿色底色。

中国坚持走生态优先、绿色发展之路,积极稳妥推进碳达峰碳中和,加快发展方式绿色转型。我们提出亚太经合组织绿色农业、可持续城市、能源低碳转型、海洋污染防治等合作倡议，推动共建清洁美丽的亚太。

第四，坚持普惠共享。当前，全球发展事业面临严峻挑战，发展鸿沟加剧。我多次讲，大家一起发展才是真发展。我们要全面落实联合国 2030 年可持续发展议程，推动发展问题重回国际议程中心位置，深化发展战略对接，共同解决全球发展赤字。欢迎各方积极参与全球发展倡议，深化减贫、粮食安全、工业化、发展筹资等领域合作，构建全球发展共同体，让各国人民共享现代化建设成果。中国将继续支持亚太经合组织开展经济技术合作，共同做大亚太发展蛋糕。

各位同事！

中国正在以中国式现代化全面推进强国建设、民族复兴伟业。中国坚持走和平发展道路，发展的根本目的是让中国人民过上好日子，不是要取代谁。今年是中国改革开放 45 周年，我们将坚持高质量发展，推进高水平对外开放，以中国式现代化为推动实现世界各国的现代化提供新机遇。我愿同各位同事一道努力，推动亚太合作取得更多丰硕成果，共同打造亚太下一个“黄金三十年”！

谢谢大家。

图书在版编目(CIP)数据

习近平在亚太经合组织第三十次领导人非正式会议上的讲话/习近平 著. —北京:人民出版社,2023.12
ISBN 978-7-01-026193-5

Ⅰ.①习… Ⅱ.①习… Ⅲ.①习近平-讲话②亚太地区-经济合作-学习参考资料 Ⅳ.①D2-0②F116

中国国家版本馆 CIP 数据核字(2023)第 232681 号

(RMC-ZJDXI-139-20231116)

习近平在亚太经合组织第三十次领导人非正式会议上的讲话

XI JINPING ZAI YATAI JINGHE ZUZHI DI SANSHI CI LINGDAOREN
FEI ZHENGSHI HUIYI SHANG DE JIANGHUA

习 近 平

人民出版社 出版发行
(100706 北京市东城区隆福寺街 99 号)

北京新华印刷有限公司印刷 新华书店经销

2023 年 12 月第 1 版 2023 年 12 月北京第 1 次印刷
开本:880 毫米×1230 毫米 1/32 印张:0.75
字数:10 千字

ISBN 978-7-01-026193-5 定价:3.00 元

邮购地址 100706 北京市东城区隆福寺街 99 号
人民东方图书销售中心 电话 (010)65250042 65289539